El cristiano y la vida

abundante

Concentrándose en nuevas prioridades

GRADO 2

Bill Bright

Unilit

Publicado por
Editorial Unilit
Miami, Fl. 33172

Primera edición 1995

© 1994 Bill Bright
Derechos reservados.
Publicado originalmente en inglés con el título:
Ten Basic Steps Toward Christian Maturity
Step 2: The Christian and the Abundant Life
por NewLife Publications, Orlando, Fl. 32809

Traducción al español: Haroldo Mazariegos
Edición: Guillermo Luna

Citas bíblicas tomadas de la Santa Biblia, revisión 1960
© Sociedades Bíblicas Unidas.
Usada con permiso.

Producto 492309
ISBN 1-56063-651-3
Impreso en Colombia
Printed in Colombia

Contenido

Reconocimientos

La serie, *los Diez Grados Básicos del Desarrollo Cristiano*, surgió como producto de la necesidad. Cuando el ministerio de Cruzada Estudiantil y Profesional para Cristo comenzó a extenderse rápidamente y a ser conocido en universidades a través de América, miles de estudiantes comprometieron sus vidas con Jesucristo, varios cientos de ellos en una sola universidad, por lo cual, el seguimiento individual para todos aquellos nuevos convertidos era virtualmente imposible. ¿Quién podía ayudarles a crecer en la nueva fe que habían encontrado?

La preparación de una serie de estudios bíblicos diseñada para nuevos cristianos se convirtió en asunto de primera necesidad. Debería ser un estudio que pudiera estimular, tanto a personas individuales como a grupos, a explorar las profundas riquezas de la Palabra de Dios. Aunque ya existían algunos excelentes estudios, sentimos la particular necesidad de producir un nuevo material, especialmente para estos estudiantes universitarios.

En 1955, pedí a algunos de mis asociados que me apoyaran en la preparación de un material de estudio bíblico que pudiera estimular, tanto el compromiso evangelístico, como el crecimiento cristiano en el nuevo creyente. La contribución hecha por los miembros de la directiva de la Cruzada Estudiantil y Profesional para Cristo, fue especialmente significativa debido a su contacto continuo con los estudiantes al llevarlos a Cristo y por las reuniones regulares que mantenían con ellos para discipularlos. Por lo tanto, *los Diez Grados Básicos del Desarrollo Cristiano* son el fruto de nuestra labor combinada.

Desde este modesto comienzo, otros miembros de nuestro cuerpo de coordinadores han contribuido generosamente. En una ocasión, por ejemplo, me encontré participando en una sesión de investigación y redacción con algunos de nuestros coordinadores, todos egresados de seminarios, unos de ellos con alguna especialización, y uno con un doctorado en teología. Aun más importante era el hecho de que todos estaban activamente comprometidos en "ganar, edificar, y enviar hombres" para cumplir con la causa de Cristo.

Para esta última edición en idioma castellano, quiero agradecer al Ministerio Hispano de nuestra organización y a nuestra oficina Continental para América Latina, cuyo personal preparó cuidadosamente esta versión para el mundo de habla española.

Una palabra personal

Tengo la reputación de ser un optimista. Cierto día, un amigo me dijo: "Bill, eres increíble. ¿No hay nada que te desanime algunas veces?" En realidad, tengo mis momentos difíciles, como cualquier persona, cuando soy tentado o me siento desmotivado. Pero una de las más grandes lecciones que he aprendido a través de los años es alabar a mi Señor en todo, tanto en las derrotas como en los triunfos.

He tenido también mi porción de pruebas y dificultades. Francamente, mi naturaleza humana puede desanimarse y algunas veces irritarse, ante la adversidad. Mi naturaleza pecaminosa puede aún causarme problemas. Si Cristo no controla mi vida, mi perspectiva de la vida y mi comportamiento serían cualquier cosa, menos alegres. Sin embargo, como he crecido en el Señor y le he permitido que me guíe por medio de Su Espíritu, Su gozo y paz sobrenaturales son cada vez más y más parte de mí.

He descubierto que cuánto más alabo a mi Padre celestial, medito en su maravillosa Palabra, ando en el poder del Espíritu Santo, y hablo con otros acerca de Jesús, mi naturaleza carnal influye menos en mis actitudes y acciones. Cuando el Cristo vivo controla mi vida, no tengo que luchar con mis propias fuerzas para estar gozoso y reposado. El Espíritu de Dios derrama una dosis adicional de optimismo desde adentro por lo cuál generalmente mi primera reacción frente a la adversidad es de gozo genuino y de paz verdadera.

Jesús dijo: "Yo he venido para que tengan vida, y para que la tengan en abundancia" (San Juan 10:10). Muchos cristianos el día de hoy, creen que después de recibir a Cristo como Salvador y Señor, su propia salvación y el favor con Dios dependen definitivamente de observar una larga lista de reglas sobre *lo que deben hacer* y *lo que no deben hacer*. Como resultado, sus vidas se llenan de amargura y autojustificación que brota de ellos en forma de actitudes negativas y juicios derrotistas.

El secreto de una vida victoriosa, estriba en mantener no una larga letanía de normas y reglamentos, sino en desarrollar una relación personal, amorosa, íntima y vital con nuestro Señor Jesucristo.

Jesús es la expresión visible del Dios invisible (Colosenses 1:15). En El "habita corporalmente la plenitud de la Deidad" (Colosenses 2:9). Dios, le ha dado a Jesús "toda autoridad, en el cielo y en la tierra" (San Mateo 28:18), y en El, estamos "completos" (Colosenses 2:10). Cuando unimos nuestras vidas débiles y finitas con Su vida sobrenatural, comenzamos a vivir una nueva calidad de vida. Cambiamos nuestra vida de derrota, frustración, y esterilidad, por Su vida de victoria, gozo y paz. Ser lleno de Su Espíritu y andar diariamente de la mano de nuestro Señor en su poder sobrenatural, es la clave para experimentar una vida abundante.

Es mi oración que este estudio lo bendiga y enriquezca su vida de manera sobrenatural. Que le ayude a experimentar lo que Dios tiene atesorado para usted en lo eterno de su amor: una vida verdaderamente abundante y sin igual.

Bill Bright

Lo que este estudio hará por usted

Recuerdo muy bien aquella noche en 1944 cuando, a solas en mi habitación, me arrodillé para rendir mi voluntad a Cristo. Aunque no experimenté gran emoción, como ocurre con algunos, Cristo entró en mi vida, fiel a Su promesa. (Apocalipsis 3:20)

Gradualmente, como el aroma de una delicada rosa, la belleza y la fragancia de Su presencia se hicieron realidad en mí. Aunque yo pensaba que era completamente feliz en mi vida cuando no era creyente, Jesús me dio, enteramente, una nueva calidad de vida una vida abundante en tantos y tan numerosos aspectos como para mencionarlos aquí.

Este estudio práctico, preparado especialmente para usted, le ayudará a experimentar esta vida abundante.

Grado 2: El Cristiano y la vida abundante, describe la manera cristiana de vivir, qué es, y cómo funciona en la práctica. Este estudio discute problemas como la tentación, el pecado, y la batalla espiritual. Los principios que usted está a punto de estudiar le ayudarán a evaluar su andar en el Señor. Le señalarán el camino cristiano de la victoria y de la vida abundante.

Usted se beneficiará por este estudio de dos maneras:

Primero, *usted obtendrá una mejor comprensión de la vida abundante.*

Muchos cristianos viven derrotados y frustrados, sencillamente porque no saben lo que la Biblia dice acerca de la victoria que es nuestra a través de Cristo si vivimos una vida de fe y obediencia.

Pueden contarse por miles los hombres y mujeres que Dios ha usado para cambiar la historia, después que Dios usó Su Palabra para transformarlos a ellos.

El salmista dice: "La exposición de tus palabras alumbra" (Salmo 119:130), y Jesús enseñó que "la verdad os libertará". (San Juan 8:32)

Puedo asegurarle que si usted aplica los conceptos que se presentan en este estudio, descubrirá la nueva vida dinámica disponible para usted sólo a través de Jesucristo; y se convertirá en un victorioso y radiante testigo de Jesús.

Segundo: *el poder de Dios cambiará su vida.*

Hebreos 4:12 proclama:

> *Porque la palabra de Dios es viva y eficaz, y más cortante que toda espada de dos filos; y penetra hasta partir el alma y el espíritu, las coyunturas y los tuétanos, y discierne los pensamientos y las intenciones del corazón.*

Hombres y mujeres por miles -incluyendo a Martín Lutero, C.S. Lewis, Billy Graham, y muchos más- han sido usados por Dios para cambiar la historia, así como Dios los cambió a ellos. Al estudiar este material, indudablemente usted experimentará los cambios que ocurrirán en su vida, y obtendrá un mayor sentido del poder de Dios en su vida.

Fundamentos para la fe

Grado 2: El cristiano y la vida abundante es parte de los *Diez Grados Básicos Hacia la Madurez Cristiana.* Un estudio de eficacia comprobada programado en series, diseñado para proveerle una base segura para su fe. Cientos de miles de personas han sido beneficiadas por esta serie de estudios bíblicos desde hace cuarenta años cuando que fue publicada en su forma original.

Cuando usted complete el grado 2, lo animo a que continúe con el resto de los grados hasta completar la serie.

Si usted es un nuevo cristiano, los *Diez Grados Básicos* lo relacionarán con las doctrinas fundamentales de la fe cristiana. Al aplicar los principios que usted aprenda, crecerá espiritualmente y encontrará solución a los problemas que enfrentará como nuevo creyente.

Si usted es un cristiano maduro, descubrirá las herramientas que necesita para ayudar a otros a que reciban a Cristo y crezcan en su fe. Su propia dedicación al Señor se afirmará, y descubrirá cómo desarrollar un plan de estudio y una vida devocional efectivos.

La serie incluye un librito para el estudio introductorio y uno para cada uno de los diez grados básicos. Estas guías de estudio están relacionadas con el *Manual del Maestro de los Diez Grados Básicos* que ha sido ampliado y actualizado para esta edición.

Cada grado descubre una faceta diferente de la vida y la verdad cristianas, y también contiene lecciones para estudio que pueden ser utilizadas durante su tiempo de meditación o en ambiente de grupos.

Lo animo a que realice el estudio del grado 2 con una mente abierta y receptiva. Mientras lee, ore a Dios para que le muestre cómo aplicar los principios que usted aprenda a su propia situación cotidianamente, y hará el descubrimiento de la vida abundante llena del Espíritu.

Cómo usar
este estudio

En la página 13 de esta introducción, usted encontrará un artículo inicial, intitulado "Viviendo la vida abundante". El artículo le dará una clara perspectiva de cómo vivir la vida abundante. Léalo cuidadosamente antes de proceder a las lecciones individuales.

Este grado contiene siete lecciones, más un "resumen" o repaso. Cada lección está dividida en dos secciones: el estudio bíblico y la aplicación práctica. Empiece por considerar el objetivo de la lección que está estudiando. El objetivo establece la meta principal de su estudio. Mantenga esto presente mientras estudia el resto de la lección.

Además, han sido provistos versículos bíblicos apropiados para memorizar que le ayudarán en su andar con Cristo. Aprenda cada versículo escribiéndolo en una pequeña tarjeta que pueda llevar consigo. Usted puede comprar estas tarjetas en cualquier librería o venta de artículos de oficina, o bien puede hacerlas usted mismo. Revise diariamente los versículos que ha memorizado.

No puedo dejar de enfatizar la importancia que tiene la memorización de versículos de la Biblia. Nuestro Señor nos ordena que aprendamos su Palabra. Proverbios 7:1-3 nos recuerda:

Cuando aplique los versículos que haya memorizado, usted experimentará el gozo, la victoria, y el poder que la Palabra de Dios le otorga.

Hijo mío, guarda mis razones, y atesora contigo mis mandamientos. Guarda mis mandamientos y vivirás, y mi ley como las niñas de tus ojos. Lígalos a tus dedos; escríbelos en la tabla de tu corazón.

Al meditar en los versículos memorizados y apropiar las promesas de Dios, usted experimentará el gozo, la victoria, y el poder que la Palabra de Dios le brinda en su andar cristiano.

Una vez que haya terminado todos los estudios de la serie, estará en capacidad de desarrollar su propio estudio bíblico, y continuar con un método sistemático para la memorización de la Palabra de Dios.

Cómo estudiar las lecciones

La lectura esporádica de la Biblia pone al descubierto hechos espirituales de fácil comprensión. Sin embargo, para entender las verdades profundas se requiere estudió. Con frecuencia la diferencia entre leer y estudiar es el uso de un cuaderno de notas y un lápiz.

Cada lección de esta serie cubre un importante tema y le da la oportunidad de anotar sus respuestas a las preguntas. Dedique un mínimo de treinta minutos diarios, preferiblemente en la mañana, al estudio bíblico, la meditación y la oración.

Recuerde, el objetivo primordial y el beneficio de un tiempo de meditación o de estudio bíblico, no son el adquirir conocimiento o almacenar información bíblica, sino el encontrarse con Dios en una manera amorosa y personal.

A continuación encontrará, algunas sugerencias que le ayudarán en su tiempo de estudio.

◆ Haga planes para establecer un tiempo y un lugar específicos para realizar estos estudios. Literalmente, haga una cita con Dios, y luego llévela a cabo.

◆ Use un lápiz o una pluma, su Biblia, y un cuaderno de notas.

◆ Comience con una oración, invocando la presencia, la bendición, y la sabiduría de Dios.

◆ Medite en el objetivo de la lección para determinar de qué manera se ajusta a sus circunstancias.

◆ Memorice los versículos sugeridos.

◆ Proceda al estudio bíblico, confiando en que Dios lo instruirá a través del mismo. Ore y espere que Dios se haga presente con usted. Trabaje cuidadosamente, leyendo los pasajes de la Biblia, meditando detenidamente en las preguntas. Conteste cada una lo más completamente posible.

◆ Cuando llegue a la sección "Aplicación práctica", responda las preguntas con sinceridad y empiece a aplicarlas a su propia vida.

◆ En actitud de oración, lea toda la lección una vez más y reevalúe sus respuestas de la sección "Aplicación práctica". ¿Deben ser cambiadas las respuestas, o quizás refinarlas?

◆ Revise los versículos para memorizar.

◆ Considere una vez más el objetivo y determine si ha sido alcanzado. Si no, ¿qué es lo que usted debe hacer?

◆ Concluya con una oración de gratitud, y pídale a Dios que le ayude a crecer espiritualmente en aquellas áreas que El le ha revelado específicamente.

◆ Cuando termine las seis primeras lecciones de esta introducción, invierta tiempo adicional en el Repaso para asegurarse de que ha entendido perfectamente cada lección.

◆ Si necesita estudiar un poco más esta introducción, pida a Dios, una vez más, sabiduría y repase cualquier lección (o lecciones) que necesite más atención, repitiendo el procedimiento hasta que esté convencido de que es capaz de aplicar las verdades a su propia vida.

El propósito de este estudio no ha sido desarrollar exhaustivamente los grandes temas de la fe cristiana. Sin embargo, un estudio cuidadoso del material, le dará, con la ayuda de Dios, una comprensión aceptable de cómo puede usted conocer y aplicar el plan de Dios a su vida. Las verdades espirituales contenidas aquí, le ayudarán a encontrarse con el Señor Jesucristo de manera íntima y a descubrir la vida plena y abundante que Cristo ha prometido (San Juan 10:10).

No se apresure en el estudio de las lecciones. Dedique tiempo para pensar en las preguntas. Medite en ellas. Absorba la verdad planteada y haga de la aplicación una parte de su vida.

Déle a Dios la oportunidad de hablarle, y permita que el Espíritu Santo le enseñe. Al invertir tiempo en oración y estudio con el Señor, y al confiar en El y obedecerle, experimentará el extraordinario gozo de Su presencia (San Juan 14:21).

Viviendo la vida abundante

Sabía usted que sólo en Norteamérica aproximadamente 400,000 jóvenes intentarán quitarse la vida este año y que por lo menos. 15,000 lograrán su objetivo?

¡Qué terrible tragedia, el que tantos lleguen a la conclusión de que no vale la pena vivir!

Sin duda, las drogas y la desesperación reflejadas en muchas canciones, libros y películas de la actualidad, añaden un ambiente emocional propicio para la autodestrucción.

¿Qué es lo que empuja a tantos jóvenes a darse por vencidos? Cuando se les preguntó a un grupo de graduandos de Segunda Enseñanza que obtuvieron la distinción de ser "Los más destacados", cuál era el mayor de sus temores, 80% respondió: "el miedo al fracaso".

Algunas de estas estadísticas me recuerdan lo dicho en la Palabra de Dios:

> En el amor no hay temor, sino que el perfecto amor echa fuera el temor; porque el temor lleva en sí castigo. De donde el que teme, no ha sido perfeccionado en el amor (1 Juan 4:18).

Permítame preguntarle, ¿está viviendo una vida gozosa y abundante en el Señor Jesús, o su vida está llena de ansiedad y temor?

Déjeme compartir con usted tres principios que le ayudarán a vivir una vida abundante y lo capacitarán para ser un testigo fructífero del Señor Jesucristo.

Con Dios "la vida es una esperanza sin fin", y sin Dios "la vida es un fin sin esperanza".

Desarrolle una relación permanente

El primer principio es *desarrollar una permanente y profunda relación con el Señor.*

Cuando Valeria fue sometida por varios meses a un tratamiento de quimioterapia y radiación, Brenda, su mejor amiga, se responsabilizó de las compras del supermercado y la limpieza de la casa. Al principio, Valeria se sintió incómoda, al saber que su mejor amiga limpiaba el piso de la cocina y hacía el aseo de los baños. Pero, a medida que Valeria fue perdiendo más y más la fuerza y la cirugía se hizo más severa, el desinteresado amor de Brenda comenzó a parecer más bello.

Muchos meses después, cuando Valeria había mejorado y los exámenes médicos mostraron que su cuerpo estaba libre de células cancerosas, Brenda fue la única persona con quien Valeria celebró este acontecimiento. Valeria, invitó a su amiga a cenar en un restaurante muy exclusivo. Rieron y bromearon, pero antes de salir del lugar Valeria le entregó a Brenda un cuadernito lleno de notas hechas a mano.

"Todo el tiempo de mi tratamiento", dijo Valeria," escribí todo lo que tu ayuda y estímulo significaban para mí. Por favor léelo cuando te sientas desanimada".

Brenda buscó la última página del cuaderno de notas, y en rasgos marcados estaba escrito, "Gracias por tu espíritu semejante al de Cristo. Te ama, Valeria".

Las amistades profundas y permanentes hacen nuestra vida más completa, plena y valiosa. Todos hemos aprendido a invertir tiempo y energía en estas relaciones para mantenerlas sanas y sólidas. Pero, ¿qué nos puede dar más satisfacción que fomentar una íntima y personal relación con nuestro maravilloso Señor Jesucristo?

Cualquiera que estudie la Santa Palabra de Dios obtendrá conocimiento acerca de Dios. Pero sólo el que recibe a Jesucristo como su personal Salvador y Señor, tendrá realmente una relación íntima con El.

En 2 Pedro 1:2 leemos: "Gracia y paz os sean multiplicadas, en el conocimiento de Dios y de nuestro Señor Jesús." Cuando recibimos al Señor Jesucristo como nuestro Salvador personal, recibimos Su gracia. Esta gracia, o favor inmerecido de Dios, está siempre acompañada de Su paz, una serena calma interior que nos asegura Su presencia y poder en nuestras vidas.

Cuando recibimos a Jesucristo somos limpios de todo pecado, y el Señor Jesús nos presenta delante del Padre puros y santos, sin mancha ni arruga. Su don de pureza y nuestro amor por El nos inspira a guardar Sus mandamientos y como resultado obtenemos una vida gozosa y fructífera.

"Como el pámpano no puede llevar fruto por sí mismo, si no permanece en la vid", dijo el Señor, "así tampoco vosotros, si no permanecéis en mí" (Juan 15:4). Al rendirle completamente el control de nuestra vida, Su Santo Espíritu fluye a través de nosotros. Rebosamos de gozo, y el amor de Dios nos constriñe a compartir Su amor y perdón con otros como algo que nos es natural.

Ponga a Dios en el centro

El segundo principio, es *colocar a Dios en el centro de nuestros planes y esperanzas.*

Alguien ha dicho que con Dios "la vida es una esperanza sin fin" y que sin Dios "la vida es un fin sin esperanza".

Dios es el autor de la vida, tanto de la vida física como de la espiritual. Sólo El, por medio de la sangre de su Hijo Jesucristo puede quitar la culpa de nuestro pasado. Sólo El, por medio del poder de Su Espíritu Santo, puede darnos la fortaleza para luchar con los problemas de nuestro presente. Sólo El, por medio de la seguridad de su Santa Palabra, puede darnos la fe para enfrentar el futuro con confianza.

Lleve fruto

El tercer principio es *llevar fruto*

Me gustan las palabras del apóstol Pablo que se encuentran en 1 Corintios 15:10 "Pero por la gracia de Dios soy lo que soy". Una de las claves para llevar mucho fruto es tener una autoimagen positiva de sí mismo, edificada sobre la base del amor y la gracia de Dios. Esto nos capacitará para testificar más eficazmente acerca de Cristo y multiplicar el fruto espiritual para nuestro Señor.

Parte del proceso de llevar fruto, es el amar a otros. El Señor Jesucristo redujo todo a dos grandes mandamientos:

Amarás al Señor tu Dios con todo tu corazón
y
Amarás a tu prójimo como a ti mismo.

Alguien dijo que a menos que usted ame a Dios, usted perecerá espiritualmente; a menos que usted se acepte a sí mismo, usted perecerá emocionalmente; a menos que usted ame a otros, usted perecerá socialmente. Es vital que aquellos a quienes compartimos el amor de Jesús, perciban que los amamos y los aceptamos, de lo contrario, no recibirán nuestro testimonio, ni comprenderán el gran amor de Dios por ellos.

Viviendo con propósito

La vida cristiana es una vida de victoria, gozo, paz, y propósito. Jesús dijo: El ladrón no viene sino para hurtar y matar y destruir; yo he venido para que tengan vida, y para que la tengan en abundancia. (San Juan 10:10)

Muchos profesan ser cristianos; sin embargo, viven vidas de derrota y frustración. Esta no es la norma del Nuevo Testamento. Imagine a los apóstoles Pablo y Silas cuando estaban prisioneros en Filipos. Fueron arrojados en la prisión de más adentro, donde además fueron azotados y sus pies fueron aprisionados en el cepo. No obstante, oraban y cantaban alabanzas a Dios. Su confianza no estaba en ellos mismos. Su fe estaba puesta en el Dios vivo, a quien ellos amaban, adoraban y servían.

Imagine también a los discípulos y miles de otros cristianos del primer siglo cantando alabanzas a Dios mientras eran quemados en la hoguera, crucificados, o devorados por los leones. Estos enfrentaron muertes terribles con valor y gozo debido a su relación viva y personal con Cristo. Muchos han visto a amigos y familiares por quienes han orado, invitar a Jesús a ser su Señor y Salvador. Otros han vencido hábitos y actitudes destructivas para después experimentar gozo y confianza.

A través de los siglos, han habido, y aún hay, cientos de millones de cristianos que han dedicado su vida entera a Cristo y han disfrutado la vida abundante que Cristo ha prometido.

Puede que no sea necesario que usted muera por Cristo, pero, ¿está dispuesto a vivir para El? Andrew Murray, autor de muchos libros clásicos cristianos escribió:

> La mala condición de vida espiritual de los cristianos es debido al hecho de que no se dan cuenta que el fin y el objetivo de la conversión es traer el alma, aquí en la tierra, a una diaria comunión con el Padre celestial. Una vez que esta verdad es

aceptada, el creyente percibirá cuán indispensable es para la vida espiritual del cristiano, dedicar tiempo cada día a la Palabra de Dios y la oración y esperar que la presencia y el amor de Dios sean revelados.

No es suficiente que uno en la conversión acepte el perdón de los pecados o aun se rinda a Dios. Esto es sólo el principio. El nuevo creyente debe comprender que por sí mismo no tiene poder para mantener su vida espiritual. No, él necesita cada día recibir la gracia del cielo a través de la comunión con el Señor Jesús.

Esto no puede obtenerse mediante una oración apresurada, ni por una lectura superficial de unos cuantos versículos de la Palabra de Dios. El debe tomar tiempo quieta y reposadamente para venir ante la presencia de Dios, ser sensible a su propia debilidad y necesidad y esperar que Dios, por medio de su Espíritu Santo, renueve la luz y la vida celestial en su corazón. Entonces él puede esperar por el poder de Cristo, ser guardado a través del día, de todas sus tentaciones.

Muchos de los hijos de Dios anhelan una vida mejor, pero no se dan cuenta de la necesidad de dar a Dios tiempo, día tras día, en lo secreto de su habitación, para que El, por medio de su Espíritu, renueve y santifique sus vidas.

Medite en este pensamiento. 'La débil condición de mi vida espiritual se debe principalmente a la falta de pasar tiempo en comunión con Dios diariamente.'

Yo lo animo a que venga gozoso a la presencia de nuestro Señor hoy, y luego día tras día. Busque un lugar donde pueda estar a solas y comuníquese con Dios leyendo y meditando en su santa e inspirada Palabra. Descubra lo que la Palabra dice acerca de su vida. Experimente la vida abundante para la cual fue creado. Luego tome la iniciativa de testificar del Señor Jesús y de las bendiciones que El ofrece, a sus seres queridos, vecinos y amigos.

¿Qué es la vida cristiana?

La vida cristiana comienza cuando recibimos por fe al Señor Jesucristo, quien es el regalo del amor y el perdón de Dios. Esto da como resultado una triple dedicación a la persona del Señor Jesucristo. Es la dedicación a El de su intelecto, de sus emociones y de su voluntad.

La vida cristiana es una relación íntima y personal entre usted y Cristo. Esta vida comienza por fe (Efesios 2:8-9) y puede ser vivida únicamente por fe. La palabra fe es sinónimo de confianza. Nosotros confiamos nuestras vidas a Jesucristo porque El ha probado que es digno de confianza mediante Su vida, Su muerte, Su resurrección y Su presencia permanente, o sea Su amor incondicional.

A medida que usted camine por fe en obediencia a Dios como un acto de la voluntad y le permita transformar su vida, su confianza aumentará en su relación con El. Usted experimentará la obra de Dios en su vida al capacitarlo para hacer aquéllo que usted no puede hacer por usted mismo.

Objetivo: Comprender nuestra nueva vida en Cristo y cómo comenzar a crecer.

Lea: Juan 1-3

Memorice: 2 Corintios 5:17

Estudio bíblico

Una nueva criatura

1. Basado en 2 Corintios 5:17, ¿qué le ha ocurrido a usted?

   ¿Cuáles son algunas evidencias en su vida de cosas "hechas nuevas" y de "cosas viejas" que han pasado?

COSAS HECHAS NUEVAS	COSAS VIEJAS QUE PASARON

2. ¿A qué compara la Biblia esta experiencia del nuevo nacimiento? (Juan 3:3)

   Compare la experiencia del nacimiento físico con el nacimiento espiritual. ¿En qué se parecen?

3. ¿Cómo ocurrió su nuevo nacimiento? (San Juan 3:16; 1:12,13)

4. Según Efesios 2:8-9, ¿qué hizo usted para merecer este regalo?

¿Por qué esto es tan importante para nuestro bienestar espiritual?

5. Colosenses 1:13-14 nos enseña sobre dos reinos. Describa la naturaleza de cada reino en relación con su vida, antes y después de haber recibido a Cristo.

Una nueva relación con Dios

1. ¿Cómo se le llama a usted? (1 Pedro 2:2)

¿Cuál debiera ser su mayor deseo?

2. ¿Cuál es su nueva relación con Dios? (Juan 1:12)

3. ¿Qué significa para usted ser partícipe de la naturaleza divina? (2 Pedro 1:4)

4. ¿Cómo sabe usted que es hijo de Dios? (Gálatas 4:6; Romanos 8:16)

Una nueva motivación

1. ¿Cómo lo motiva a usted el amor de Cristo? (2 Corintios 5:14-15)

2. ¿Qué ha reemplazado al "YO" como factor más importante en su vida? (versículo 15)

3. ¿Cuáles son las dos cosas que han ocurrido en su vida que le han dado una nueva motivación, según Colosenses 3:1-4?

   1)

   2)

   ¿Qué ha ocurrido con su vida antigua de acuerdo al versículo 3?

   ¿Qué lo motivará a buscar las cosas de arriba, según el versículo 1?

¿Cuál es la promesa que se nos ha dado (versículo 4)? ¿De qué manera afecta ésta su motivación?

Una nueva relación con la humanidad

1. ¿Qué hay de nuevo en su relación con las demás personas? (1 Juan 3:11,14)

2. ¿Cómo puede demostrar que usted es un seguidor de Cristo? (Juan 13:35)

   ¿En qué forma está usted haciendo esto en su vida diaria?

3. Lea 2 Corintios 5:18-21. Describa el ministerio que se la ha dado.

   Somos llamados _____ de Cristo (versículo 20).

   ¿De qué manera está usted cumpliendo con su llamado?

4. Como seguidor de Cristo ¿cuál es lo mejor que usted puede hacer? (Mateo 4:19)

Cite por lo menos tres formas en que usted puede hacer esto en su propia vida.

1)

2)

3)

5. ¿Cómo pueden ser beneficiados sus amigos con el mensaje que usted les transmita? (1 Juan 1:3,4)

APLICACION PRACTICA

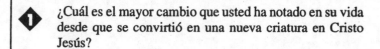

1 ¿Cuál es el mayor cambio que usted ha notado en su vida desde que se convirtió en una nueva criatura en Cristo Jesús?

2 En su nueva relación con Dios, ¿cuál es ahora su respuesta a los problemas, desilusiones y frustraciones? (1 Pedro 5:7; Romanos 8:28).

3 ¿En qué manera va a cambiar usted sus metas como resultado de su nueva motivación?

4 ¿Cuál es ahora su responsabilidad hacia los demás? ¿Cómo la llevará a cabo?

5 Escriba dos cambios que a usted le gustaría que ocurrieran en su vida ahora que es cristiano. Pídale a Dios que estos cambios se lleven a cabo.

1)

2)

Evaluando su vida espiritual

Los dos círculos que aparecen en la gráfica a continuación representan dos clases de vida: La-vida dirigida por el "Yo", y la vida dirigida por Cristo.

El de la izquierda, ilustra una vida en la que el "Yo" tiene el control y describe una vida agobiada y caótica.

El círculo de la derecha representa una vida controlada por Jesús, balanceada y ordenada, con un gran potencial para desarrollar ricas y productivas experiencias.

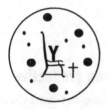 0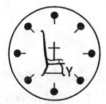

¿Cuál círculo representa su vida?

Objetivo: Evaluar su relación con Cristo

Lea: San Juan 4-6

Memorice: Gálatas 6:7

¿Cuál de los dos círculos le gustaría que representara su vida?

Medite cada pregunta de esta lección, así como las respuestas. Haga de esto una evaluación de su condición espiritual.

Estudio bíblico

Tipos de tierra

Lea la parábola del sembrador en San Mateo 13:1-23; San Marcos 4:3-20; San Lucas 8:4-15.

1. ¿Qué representa la semilla? (San Marcos 4:14)

2. ¿Cuáles son las cuatro clases de tierra mencionadas en San Mateo 13:4-8?

1)

2)

3)

4)

Haciendo que la tierra sea productiva

1. ¿Qué representa cada clase de tierra? Compare San Mateo 13:4 con los versículos 18,19.

Compare los versículos 5,6 con 20,21.

Compare el versículo 7 con el 22.

Compare el versículo 8 con el 23.

2. ¿Qué debe ocurrir para que la tierra de junto al camino, pueda ser cambiada? (Hebreos 3:15)

3. Cómo puede una tierra rocosa y árida, llegar a ser productiva? (1 Corintios 10:13 y Proverbios 29:25)

4. ¿Cómo pueden las personas descritas como "tierra espinosa" llegar a ser cristianos dinámicos y efectivos? (1 Pedro 5:7; San Mateo 6:19-21)

Resultados de ser una buena tierra

1. ¿Qué condición da como resultado en un cristiano frutos abundantes? (San Marcos 4:20; San Lucas 8:15)

2. ¿Qué tipo de terreno representa a la mayoría de los cristianos que usted conoce?

3. ¿Qué tipo de terreno representa su vida actualmente?

4. ¿Qué tipo de terreno desea usted que su vida represente?

APLICACION PRACTICA

1 ¿Qué cambios debe tener el terreno de su vida para convertirse en buena tierra y aumentar su productividad?

2 Haga una lista de algunas áreas problemáticas que necesitan ser cambiadas.

3 ¿Qué debe usted confiarle a Cristo para que El obre?

Viviendo abundantemente

Suponga que un día, al llegar usted a su casa, encuentra una mancha en la alfombra nueva de la sala. Usted hace todo lo posible por limpiarla, pero nada parece dar resultado. Entonces alguien le da una fórmula especial que garantiza la eliminación de las peores manchas. Aquel limpiador es tan eficaz, que no sólo saca las manchas, sino que también protege la alfombra para que no se manche de nuevo.

Esto es lo que Dios hace con nuestros pecados. La cruenta muerte de Cristo en la cruz, borró para siempre nuestra iniquidad. Ningún pecado es tan profundo y ninguna mancha tan oscura, que Dios no pueda limpiarnos y emblanquecernos a través de la preciosa sangre de Jesucristo.

El sacrificio de Cristo en la cruz por nosotros es completo. El nos salvó del castigo por el pecado (San Juan 3:18; Efesios 2:8). Hemos sido salvados del poder del pecado (Judas 24,25; 2 Tesalonicenses 3:3), y seremos salvados de la presencia del pecado (1 Juan 3:2; Filipénses 3:21; 1 Corintios 15:51,52).

Usted ha creído que Dios ya pagó el precio de sus culpas y le ha dado la vida eterna. ¿Por qué no confía en El ahora, para obtener poder sobre el pecado? Recuerde que así como recibió a Cristo por fe, debe caminar por fe y recibir la vida abundante que El le ha prometido.

❖

Objetivo: Aprender los pasos hacia la vida abundante

Lea: Juan 7-9

Memorice: Juan 10:10

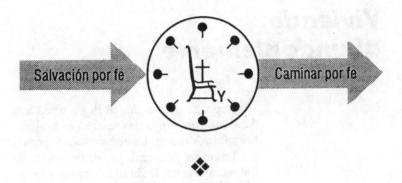

❖
Estudio bíblico

Las bases de la vida abundante

Lea Romanos 6:1-23

1. ¿Sabe usted lo que ocurrió en su vida cuando usted llegó a ser cristiano? (versículo 6)

2. Según el versículo 11, ¿Qué debe usted hacer?

3. Según el versículo 13, ¿Cuál es su responsabilidad?

4. Según el versículo 16, el hombre es un siervo, del pecado o de la justicia. ¿Qué determina a quién ha de servir?

Revise Romanos 6:6,11,13,16 y note la progresión:

◆ *Sepa* que usted ha sido crucificado con Cristo
◆ *Reconozca* que usted ha muerto al pecado y vive para Cristo Jesús.

◆ *Ofrézcase* usted mismo, a Dios.

◆ *Obedezca* a Dios.

(Vea el significado de los términos en la página siguiente)

Usando estos cuatro pasos, dedíquese a servir a Dios y no al pecado.

5. Describa los beneficios que usted ha notado ya al vivir una vida recta.

La práctica de la vida abundante

Lea el Salmo 37:1-7,34

1. ¿Qué actitudes equivocadas son planteadas en el versículo 1?

2. ¿Cuál debe ser su actitud hacia el Señor? (versículo 3)

3. ¿Qué debe hacer para obtener los deseos de su corazón? (versículo 4)

4. ¿Por qué es necesario considerar el versículo 5 al planear su futuro?

5. ¿Cómo puede usted aplicar las instrucciones dadas en el versículo 7. Sea específico.

6. ¿Qué significa para usted el versículo 34?

Considere ahora, cada una de las referencias dadas arriba y note la progresión.

◆ No se *impaciente*
◆ *Confíe* en el Señor
◆ *Deléitese* en el Señor
◆ *Encomiende* su camino al Señor
◆ *Esté quieto* delante del Señor
◆ *Espere* en el Señor

(Vea en la parte de abajo el significado de los términos.)
El secreto de la vida abundante está contenido enb estas palabras clave: *conocer, reconocer, ofrecer, obedecer, no impacientarse, confiar, deleitarse, encomendar, estar quieto, esperar* (subraye estas palabras en Romanos 6 y en el Salmo 37).

Significado de los términos

Conocer − estar completamente seguro de un hecho

Reconocer − actuar basado en un hecho, considerarlo, depender de ese hecho en lugar de en los sentimientos

Ofrecer − estregarse, rendirse, someterse

Obedecer − poner las instrucciones en práctica, cumplirlas, confiar

No impacientarse − abandonar la preocupación y la ansiedad

Confiar − depender de todo corazón

Deleitarse − experimentar gran placer o gozo

Encomendar − dar un cargo o encomienda, entregar.

Estar quieto − escuchar con absoluta atención

Esperar − Aguardar en confiada expectación

APLICACION PRACTICA

 1 ¿Qué cambios debe tener el terreno de su vida para convertirse en buena tierra y aumentar su productividad?

Palabras clave	Ya lo hago ahora	Necesito hacerlo
SABER		
RECONOCER		
OFRECER		
OBEDECER		
NO IMPACIENTARSE		
CONFIAR		
DELEITARSE		
ENCOMENDAR		
ESTAR QUIETO		
ESPERAR		

2 ¿Cómo planea aplicar esto? Sea específico.

La vida permaneciendo en Cristo

Alex estaba preocupado por sus constantes errores al tratar de vivir una vida cristiana victoriosa.

"Siempre estoy fallando", dijo. "Sé lo que es correcto, pero sencillamente no puedo cumplir con las muchas promesas, resoluciones y rededicaciones que le hago al Señor casi diariamente.

"¿Qué me está pasando? ¿Por qué fallo constantemente? ¿Cómo puedo apretar el botón mágico que cambie mi vida y me haga la clase de persona que Dios quiere que yo sea y la clase de persona que yo quiero ser?"

Todos experimentamos este tipo de conflictos cuando tratamos de vivir la vida en nuestras propias fuerzas. Pero la victoria es nuestra cuando aprendemos a permanecer en Cristo.

Jesús dijo: "Yo soy la vid, y vosotros los pámpanos. El que permanece en mí, y yo en él, éste lleva mucho fruto; porque separados de mí nada podéis hacer." (San Juan 15:5)

Objetivo: Comprender la permanencia en Cristo y empezar a vivirla

Lea: San Juan 10-12

Memorizar: San Juan 15:7,16

La realidad de nuestra permanencia en Cristo y su permanencia en nosotros, es posible a través de la capacidad sobrenatural del Espíritu Santo. Permanecer en Cristo significa ser uno con El por fe. Es vivir dependiendo conscientemente de El reconociendo que es Su vida, Su poder, Su sabiduría, Su fortaleza, y Su habilidad para obrar a través de nosotros lo que nos capacita para vivir de acuerdo a Su voluntad.

Esto lo logramos rindiendo el trono de nuestra vida a El, y por fe haciendo uso de sus recursos para vivir una vida fructífera, santa y sobrenatural.

El "permanecer" (nosotros en Cristo y El en nosotros), nos habilita para vivir una vida victoriosa y fructífera. Millones de Cristianos a través del mundo manifiestan su amor a Cristo cada semana al asistir a los servicios de las iglesias, al cantar himnos, al estudiar su Biblia y al asistir a reuniones de oración. Sin embargo, ninguna cantidad de palabras podrán convencer al mundo de que usted y yo verdaderamente amamos al Señor, a menos que le obedezcamos. Esto incluye el llevar fruto para El. La única manera en que podemos mostrar que en verdad permanecemos en El es llevando fruto, lo cual implica llevar a otros al Salvador, así como viviendo vidas santas.

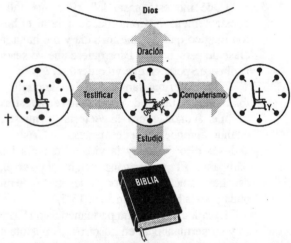

La vida de "permanencia en Cristo", también conlleva gozo eterno. "Os he dicho esto", dijo Jesús, "para que mi gozo esté en vosotros y que vuestro gozo sea completo."

Para poder vivir esta vida abundante y gozosa, debemos aprender a vivir en Cristo, cediendo constantemente el control total de nuestras vidas a El.

¿Es una realidad en su vida la presencia viva de Cristo? Como una expresión de su voluntad, entregue en oración el trono de su vida a El, y por fe invítele a llenarle con vida sobrenatural y a darle el poder para llevar mucho fruto para Su gloria.

ESTUDIO BIBLICO

La vida que permanece

"El permanecer es la clave en la experiencia cristiana por la cual los atributos divinos son trasplantados en el terreno humano, para ser transformados tanto en nuestro carácter como en nuestra conducta".
—Norman B. Harrison

1. En San Juan 15:5 Jesucristo se refirió a sí mismo como _____ y a los cristianos como_____. ¿Cuál es la relación entre Cristo y usted, según se menciona en este versículo?

2. ¿Por qué es que Jesucristo hace una poda (o "limpia") de cada rama que lleva fruto? (San Juan 15:2)

   ¿Cuáles experiencias en su vida las puede señalar como una "poda" en su vida como cristiano? (Vea Hebreos 12:6; Romanos 5:3-5.)

   ¿Cuáles fueron los resultados?

¿Qué aprendió a través de estas experiencias?

Resultados de la permanencia en Cristo

1. Lea Juan 15:7-11.

De acuerdo al versículo 7, ¿qué dos elementos son imprescindibles para que una oración sea efectiva?

1)

2)

2. Jesús glorificó a Dios. ¿Cómo puede usted hacer lo mismo? (v. 8).

3. Cristo nos ordena permanecer en Su amor. ¿Cuán grande cree usted que debe ser este amor? (v. 9).

¿Cómo podemos permanecer en el amor de Cristo? (v. 10)

¿Cómo piensa usted que la promesa del versículo 11 será revelada en su vida hoy?

4. ¿Para que hagamos qué cosa nos ha escogido Cristo? (Juan 15:16)

¿Qué significa "fruto" (vea Mateo 4:19; Gálatas 5:22,23; Efesios 5:9; Filipenses 1:11).

5. ¿Por qué piensa usted que Cristo escogió esta forma particular para ilustrar nuestra permanencia en El?

6. ¿Será usted capaz de hacer lo que Cristo espera de usted?

¿Cómo lo sabe?

APLICACION PRACTICA

 Escriba brevemente lo que usted necesita hacer para empezar a permanecer en Cristo de una manera más consistente.

 ¿Qué cree usted que Cristo hará como resultado?

 ¿Cómo cree usted que esto afectará su vida?

LECCION 5

La vida limpia

S i el Espíritu Santo fue enviado para darme poder para vivir una vida victoriosa, ¿por qué me siento desanimado y derrotado?

Con frecuencia buscamos una vida de poder, pero no la obtenemos por causa de motivaciones impuras, deseos egoístas o pecados sin confesar. Dios no llena un recipiente sucio con Su poder y amor. El vaso de nuestra vida debe estar limpio por la sangre de nuestro Señor Jesucristo antes de que pueda ser lleno con el Espíritu de Dios.

El salmista escribió: "Examíname, oh Dios, y conoce mi corazón; Pruébame y conoce mis pensamientos; Y ve si hay en mí camino de perversidad, Y guíame en el camino eterno". (Salmo 139:23,24)

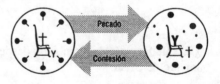

Objetivo: Aprender la importancia y significado de vivir una vida limpia, momento a momento.

Lea: Juan 13-15

Memorice: 1 Juan 1:9

Yo creo que esta oración debe ser una disciplina esencial en la vida del cristiano. Ella le expresa a Dios, nuestro deseo de pureza, nuestro anhelo porque Sus caminos sean nuestros caminos. Pidiendo a Dios que nos revele todo

43

pecado inconfeso y que nos capacite para mantenernos a cuentas con El. La confesión produce limpieza. La Palabra de Dios promete: "Si confesamos nuestros pecados, él es fiel y justo para perdonar nuestros pecados, y limpiarnos de toda maldad".

El Espíritu santo anhela llenarnos de su poder y amor. En esta lección, usted aprenderá cómo puede obtener este poder en su vida. El primer paso es ser limpiado del pecado y ser lleno del Espíritu de Dios.

Estudio bíblico

Viviendo "fuera de la comunión" con Dios.

Estudie el diagrama anterior.

1. ¿Cuáles son las características de una persona que no está en comunión con Dios? (Santiago 1:8)

   Piense en su vida pasada. ¿Cómo lo describe a usted este versículo?

   ¿En qué forma(s) ha cambiado desde que usted vino al conocimiento de Cristo?

2. Lea Isaías 59:2, ¿Cuál es el resultado del pecado en una vida?

3. ¿Cree usted que el pecado en su vida ha afectado su relación con Dios? ¿Cómo?

Cómo ser limpio

1. ¿Cuál es el requisito para ser limpio y perdonado? (1 Juan 1:9)

La palabra confesar significa "decir lo mismo que la otra persona, estar de acuerdo con Dios".
La confesión implica tres cosas:

◆ Aceptar que usted ha pecado (sea específico)

◆ Aceptar que la muerte de Cristo en la cruz pagó el precio de ese pecado.

◆ Arrepentirse —cambiar de actitud hacia el pecado, lo que producirá un cambio de acción hacia el pecado.

Cuando Dios llama su atención de que algo que usted ha hecho es pecado, usted debe confesar, o sea decir lo mismo que Dios dice acerca de ese pecado específico. No debe decirse solamente: "he pecado", sino se debe establecer cuál fue el pecado y estar de acuerdo con Dios, viendo esto desde el punto de vista de Dios. Luego, decídase a dejar ese pecado y no volverlo a cometer.

2. ¿Cuáles fueron las dos cosas que hizo el salmista en cuanto a su pecado en el Salmo 32:5?

1)

2)

Lea Proverbios 28:13. ¿Cuál es la consecuencia de no admitir el pecado?

¿Y de admitir el pecado?

3. ¿Cuál de estos resultados es el que ha ocurrido en su vida?

Viviendo "en compañerismo" con Dios

1. Observe en el diagrama de la página 43 que, cuando confesamos nuestros pecados, Dios nos restaura a la comunión. El caminar en compañerismo con el Padre y con el Hijo, se define como "andar en la luz".
   Lea 1 Juan 1:7 y mencione dos resultados prometidos.

   1)

   2)

   Dé un ejemplo de cómo puede usted experimentarlos en su vida.

2. Cuando estamos en comunión con Dios, ocurren cosas específicas dentro de nosotros. De acuerdo a Filipenses 2:13 y 4:13 ¿cuáles son?

Describa cómo estos versículos le pueden ayudar a vencer tentaciones y debilidades específicas que usted enfrenta hoy día.

3. ¿Cuál es el poder que obra en nosotros y cuál es el resultado? (Romanos 8:9; Gálatas 5:22,23)

Haga una lista de las cualidades encontradas en Gálatas 5:22,23 que están manifestándose en su vida.

4. ¿Cuál debe ser nuestra actitud cuando somos tentados? (Romanos 6:11-14)

¿Por qué? (Colosenses 3:3)

Identifique la forma en que usted puede obedecer las instrucciones dadas en Romanos 6:11-14.

APLICACION PRACTICA

 Escriba en sus propias palabras, qué hará cuando se dé cuenta de algo que rompe su relación con el Señor.

 Exponga las razones de por qué es importante confesar el pecado en cuanto somos conscientes del mismo.

 Siga los siguientes pasos para confesar su pecado:
a) Pida al Espíritu Santo que le revele los pecados en su vida.
b) Haga una lista de los pecados en una hoja de papel.
c) Confiese los pecados.
d) Escriba 1 Juan 1:9 transversalmente sobre la lista de pecados.
e) Agradezca a Dios el completo perdón de sus pecados.
f) Destruya el papel, ya que esto representa lo que ha ocurrido con sus pecados.

Victoria en la guerra espiritual

Imaginemos por un momento a un soldado británico en la guerra de independencia de los Estados Unidos. Junto con sus demás compañeros soldados, él combatió contra las fuerzas coloniales, las cuales eran dirigidas brillantemente por el general Jorge Washington. El pequeño ejército colonial luchó contra la arrolladora y superior tropa inglesa y milagrosamente salieron victoriosos. A pesar de eso, algunos solados británicos rehusaron rendirse. Estos no quisieron admitir su derrota y continuaron haciendo lucha de guerrillas.

Este es un retrato de la vida del cristiano. Leemos en Colosenses 1:13-14 que Dios nos ha sacado del reino oscuro y tenebroso de Satanás. La bandera cristiana de la victoria ha sido izada; Satanás ha sido derrotado. Sin embargo, la lucha espiritual de guerrillas continúa.

Si nosotros vamos a caminar bajo el control y en la plenitud del Espíritu Santo, debemos estar preparados para el conflicto espiritual.

Estoy seguro que se presentan decenas de ocasiones diariamente en el hogar, la oficina, el supermercado o conduciendo por la carretera, en las que usted enfrenta tentaciones que comprometen sus convicciones cristianas. Ninguno de nosotros en esta vida ha alcanzado la perfección y puedo decirle que después de

Objetivo: Aprender acerca de la batalla espiritual y cómo utilizar las armas que Dios nos ha provisto para la batalla

Lea: San Juan 16-18

Memorice: Efesios 6:10-12

casi cincuenta años de caminar con nuestro maravilloso Señor, constantemente confronto dicha lucha de guerrillas.

En Efesios 6:10-18 se nos exhorta a ponernos "toda la armadura de Dios, para que podaís estar firmes contra las asechanzas del diablo".

Hay maneras en que usted puede combatir contra las "guerrillas" en su vida. Permítame mencionarle algunas:

1. *Confiese los pecados que están presentes en su vida.* El pecado es el resultado de la desobediencia, y esto le concede a Satanás un cuartel en nuestras vidas.

2. *Concentre su afecto en Cristo y ríndase ante Su señorío.* El apóstol Pablo escribe en Romanos 12:2, "No os conforméis a este siglo, sino transformaos por medio de la renovación de vuestro entendimiento ...."

3. *Sepa que por un acto de su voluntad y por fe, usted puede ser libre en Cristo.* Romanos 6:16 dice: "... No sabéis que si os sometéis a alguien como esclavos para obedecerle, sois esclavos de aquel a quien obedecéis, sea del pecado para muerte, o sea de la obediencia para justicia."

4. *Sea lleno del Espíritu.* Usted es lleno del Espíritu Santo de la misma manera que usted llegó a ser cristiano, por fe. (Efesios 5:18)

5. *Estudie la santa e inspirada Palabra de Dios diariamente.* En oración, aplique Sus verdades a su vida.

6. *Experimente diariamente el poder de la oración.* Como hijo de Dios, usted está invitado a acercarse con confianza a Su trono para recibir su misericordia y hallar gracia en el momento de necesidad. (Hebreos 4:14-16)

7. *Viva por fe.* Todo lo que usted recibe de Dios, desde el momento de su nacimiento espiritual hasta su muerte, es por fe. Sin fe es imposible agradar a Dios (Hebreos 11:6).

Cristo murió para obtener la victoria sobre todas las facciones guerrilleras infiltradas en nuestra vida. Yo lo animo a que usted comience a aplicar estos principios en su vida hoy y Jesucristo lo ayudará a fortalecerse en El.

Estudio bíblico

Describa con sus propias palabras la ilustración presentada en la orden dada por Pablo en Efesios 6:10-18.

Yelmo de la salvación

Coraza de justicia

Cinturón de la verdad

Espada del Espíritu (Palabra de Dios)

Escudo de la fe

Calzados para difundir el Evangelio de la Paz

Estamos en el campo de batalla

1. ¿Qué dos cosas podría usted hacer si se pone la armadura? (versículos 10, 11)

   1)

   2)

   ¿Cómo podemos defendernos de nuestros enemigos? (versículos 10-13)

2. ¿Quiénes son los enemigos?
   Santiago 4:4

Gálatas 5:16,17

1 Pedro 5:8

3. Nombre las seis piezas protectoras que integran la armadura que Dios provee y que espera que usted use. (Efesios 6:14-17)

   1)

   2)

   3)

   4)

   5)

   6)

4. ¿Cómo puede usted usar la espada de la Palabra (v.17) para defenderse contra la tentación? (Salmo 119:9,11)

5. Haga una lista de las maneras en que la espada de la Palabra puede ser utilizada en una acción ofensiva (2 Timoteo 3:16-17).

6. ¿Cómo puede usted permanecer alerta y siempre preparado? (Efesios 6:18; Colosenses 4:2)

Somos más que vencedores por medio de Cristo

1. ¿Cómo debe usted responder a estos enemigos?

Romanos 12:2

Gálatas 5:16

Santiago 4:7

2. Cuando usted considera todas las piezas de la armadura que han sido provistas, ¿quién cree que realmente está peleando esta batalla? (Efesios 6:10)

3. ¿Por qué siempre espera usted que Dios sea el vencedor? (1 Juan 4:4)

4. ¿De qué manera Romanos 8:31 afecta su actitud hacia la adversidad y la tentación?

5. ¿Cómo le ayudan estos principios a vivir una vida más abundante?

APLICACION PRACTICA

 Describa una situación específica en su vida actual, en la cual usted necesita emplear un "arma" espiritual.

 ¿Qué arma(s) usaría usted y cómo?

 ¿Qué resultados espera?

La actitud marca la diferencia

Objetivo: Empezar a ver siempre la vida desde la perspectiva de Dios.

Lea: San Juan 19-21

Memorice: 2 Corintios 1:3,4

Su hijo ha ingresado en la sala de emergencia del hospital. Fue lesionado gravemente en un accidente de tránsito y no se espera que sobreviva...

Acaba usted de descubrir que su hija adolescente y soltera, está embarazada...

El pago de la casa esta vencido; el dentista, está amenazándolo con enviar su cuenta a la oficina de cobros de cuentas morosas. Su línea telefónica ha sido cortada y usted está a punto de ser despedido del trabajo...

Su cónyuge es una persona alcohólica y se torna violenta cuando ha bebido...

Las crisis son parte de la vida. No podemos escapar de las dificultades. Jesús dijo: "En el mundo tendréis aflicción" (San Juan 16:33). En pocas palabras, la vida es un campo de batalla. Pero no es la crisis la que crea el problema, sino cómo se reacciona frente a ella. El dolor causado por el problema puede disminuir si tomamos la actitud correcta frente a él.

Cuando dos cristianos enfrentan el mismo problema, uno de ellos puede deprimirse y sentirse derrotado, mientras que el otro se acerca más a Dios. ¿Por qué cree usted que ocurre esto?

Algunas veces los cristianos creen que Dios los ha abandonado, cuando se encuentran sin dinero, enfermos, o en severos aprietos. Dicha actitud los conduce a la frivolidad, a la ausencia de oración, a la preocupación y a una vida egoísta.

En este estudio, usted aprenderá acerca de las "bendiciones disfrazadas" y cómo nuestra actitud marca la diferencia entre la derrota y la victoria.

Estudio bíblico

El pueblo de Dios en problemas

En el libro de Exodo 14:1-4, los israelitas experimentaron una bendición que no reconocieron. Mientras usted lee el pasaje, fíjese en el punto de vista de la gente y el punto de vista de Dios, como se ve reflejado en la actuación de Moisés.

1. ¿Cómo reaccionaron los israelitas ante el peligro evidente? (Exodo 14:12-14)

2. Note cómo reaccionó Moisés. ¿Por qué piensa que él exhortó al pueblo en la forma que lo hizo? (Exodo 14:13,14)

3. ¿Qué logró Dios en sus mentes y en sus corazones a través de esta experiencia? (Exodo 14:31)

4. Piense en alguna crisis que haya tenido usted en su vida. ¿Cómo respondió usted?

¿Cómo reaccionó?

¿Cómo mejoró su actitud?

Haga una lista de las formas en que Dios ha obrado en su vida a través de las dificultades y muestre cómo estas dificultades han sido realmente bendiciones disfrazadas ú ocultas.

Adoptando la actitud correcta

1. Haga una lista de algunas cosas que la Biblia promete cuando usted es tentado o probado. (1 Corintios 10:13)

2. ¿Cómo puede ser verdadera la promesa bíblica de Romanos 8:28, que aquellos que aman a Dios, todas las cosas les ayudan a bien?

¿Alguna vez ha dudado usted de la obra que Dios ha hecho en su vida? ¿Cuándo? ¿Por qué?

3. Según Romanos 5:3-5, ¿cómo espera Dios que usted responda frente a la tribulación?

¿Cuáles son los resultados de la tribulación?

4. ¿Cuál es el propósito de las bendiciones disfrazadas de acuerdo a 2 Corintios 1:3,4?

Hebreos 12:5-11

5. Lea 1 Tesalonicenses 5:18 y Hebreos 13:15

¿Qué respuesta nos exhorta Dios a que demos en todas las ocasiones?

Cuando el dolor y la tragedia llegan, ¿cómo puede usted regocijarse y dar gracias?

Compare esto y la actitud de los israelitas en Exodo 14:1-12.

APLICACION PRACTICA

 Haga una lista de los métodos por los cuales una actitud de confianza puede llegar a ser una realidad en su vida. (Ver Efesios 5:18; Gálatas 5:16; 1 Tesalonicenses 5:17; Romanos 10:17).

 Actualmente, ¿en qué prueba de su vida necesita usted confiar en Dios?

 ¿Cree usted que esta prueba pueda ser una bendición disfrazada?

 ¿Cómo debe usted recibir esas bendiciones?

Resumen

Las siguientes preguntas le ayudarán a revisar este grado. Si es necesario, vuelva a leer la lección a la que se refieren.

1. Diga con sus propias palabras, ¿qué implica la vida cristiana?

2. Imagine y describa la vida abundante que usted desea para sí mismo. ¿Qué parte desempeña el llevar fruto?

   ¿Qué parte desempeña la guerra espiritual?

3. ¿Cómo sabe usted si esta clase de vida abundante coincide con el punto de vista de Dios?

Vuelva a leer: San Lucas 8:4-5; Romanos 6:1-16; San Juan 15:1-17; San Juan 1:1-9

Repase: Los versículos memorizados

APLICACION PRACTICA

1 ¿Qué pasos específicos debe usted dar para hacer la vida abundante una realidad en su vida?

2 Haga una lista de los versículos del capítulo 6 que puedan ayudarle a tratar con las tentaciones que usted enfrenta. Cada semana, actualice esta lista incluyendo las tentaciones y los versículos que le ayuden a lidiar con ellas.

TENTACION	VERSICULO

Recursos para un estudio profundo sobre Jesucristo

Los Diez Grados Básicos. Un completo plan de estudios para el cristiano que desea dominar los fundamentos del crecimiento cristiano. Usado por cientos de miles de cristianos en todo el mundo. (vea para más detalles, la página 65.)

(Guía del líder) Manual del Maestro de los Diez Grados Básicos. Contiene los bosquejos para la enseñanza de todas las series.

Cuadernito para la madurez cristiana. Combina todas las series de los Diez Grados Básicos en un volumen. Es un recurso práctico para el estudio bíblico privado; un excelente libro que contribuye a la nutrición, crecimiento y madurez espiritual.

Un hombre sin igual. Una visión fresca del nacimiento, enseñanza, muerte, y resurrección singulares de Jesús y cómo él continúa transformando la manera en que vivimos y pensamos. Excelente herramienta evangelística.

Vida sin igual. Una presentación de lo largo y ancho de la libertad cristiana en Jesucristo y de cómo los creyentes pueden liberar el poder de la resurrección de Cristo en su vida y ministerio. Bueno para no creyentes o cristianos que desean crecer en su vida cristiana.

Cinco pasos del crecimiento cristiano. Enseña a los nuevos creyentes, las cinco piedras angulares de la fe: la seguridad de la salvación, el entendimiento del amor de Dios, la experiencia del perdón de Dios, la llenura del Espíritu Santo, y los pasos para crecer en Cristo.

La clave de una vida victoriosa. Experimente una vida fructífera y gozosa en el Espíritu Santo, y resista la tentación por medio de la "respiración espiritual". Esta *tarjeta* es lo suficientemente pequeña como para llevarla en el bolsillo, la Biblia, o en el bolso.

Disponibles en su librería local, ordenados por correo,
o en Publicaciones Nueva Vida (New Life Publications)

63

Los Diez Grados Básicos Hacia la Madurez Cristiana

Once guías fáciles de usar para ayudarle a comprender las bases de la fe cristiana

INTRODUCCION:
La singularidad de Jesús
Explica quién es Cristo. Revela los secretos de Su poder para convertirlo a usted en un cristiano victorioso y fructífero.

GRADO 1: La aventura cristiana
Presenta cómo disfrutar una vida plena, abundante, con propósito, y fructífera en Cristo.

GRADO 2: El cristiano y la vida abundante
Explora la manera cristiana de vivir -lo que es la vida cristiana y su aplicación práctica.

GRADO 3: El cristiano y el Espíritu Santo
Enseña quién es el Espíritu Santo, cómo ser lleno del Espíritu Santo, y cómo hacer para que la vida llena del Espíritu sea una realidad en su vida -momento a momento.

GRADO 4: El cristiano y la oración
Revela el verdadero propósito de la oración y presenta cómo el Padre, el Hijo, y el Espíritu Santo trabajan juntos para responder su oración.

GRADO 5: El cristiano y la Biblia
Habla acerca de la Biblia -cómo fue producida, su autoridad, y su poder para ayudar al creyente. Este GRADO ofrece métodos para estudiar la Biblia con mayor efectividad.

GRADO 6: El cristiano y la obediencia
Aprenda por qué es tan importante obedecer a Dios y cómo vivir diariamente bajo su gracia. Descubra el secreto de una vida de poder e integridad como

cristiano y por qué necesita no temer por lo que los demás piensan de usted.

GRADO 7: El cristiano y el testimonio
Presenta cómo testificar con efectividad. Incluye una reproducción de las Cuatro Leyes Espirituales y explica cómo compartirlas.

GRADO 8: El cristiano y la mayordomía
Descubra el plan de Dios para su vida financiera, cómo evitar la preocupación por el dinero, y cómo confiar en Dios en lo que respecta a sus finanzas.

GRADO 9: Explorando el Antiguo Testamento
Presenta un breve panorama del Antiguo Testamento.
Muestra lo que Dios hizo para preparar el camino para la venida de Jesucristo y la redención de todo aquél que lo recibe a El como Salvador y Señor.

GRADO 10: Explorando el Nuevo Testamento
Examina cada libro del Nuevo Testamento. Presenta la esencia del evangelio y resalta el emocionante principio de la iglesia cristiana.

Guía para el líder
Extraordinario recurso aun para la persona más tímida e inexperta que se le pida dirigir un grupo de estudio sobre los fundamentos de la vida cristiana. Contiene preguntas y repuestas de las guías de estudio de los Diez grados básicos.

Cuadernito para la madurez cristiana
Combina la serie de 11 libros en un volumen práctico, fácil de seguir. Excelente para el estudio personal o de grupos.

Disponibles en su librería local, ordenados por correo, o en Publicaciones Nueva Vida (New Life Publications)

Acerca del autor

EL doctor BILL BRIGHT, es el fundador y presidente de Cruzada Estudiantil y Profesional para Cristo (Campus Crusade for Christ, Internacional, Orlando, Florida). Actualmente este dinámico ministerio cristiano sirve en 152 países que representan 98% de la población mundial. El doctor Bright y su dedicado equipo de trabajo de más de 11.900 coordinadores de tiempo completo y asociados, así como 100.000 voluntarios bien capacitados, han conducido a millones de personas a Jesucristo y están discipulando a millones más a vivir una vida llena del Espíritu Santo, con fruto espiritual, propósito y poder, para la gloria de Dios.

El doctor Bright hizo estudios de postgrado en la Universidad de Princeton y en el Seminario Teológico de Fuller, de 1946 a 1951. Ha recibido numerosos reconocimientos en Estados Unidos y en otras naciones incluyendo cinco Doctorados Honoríficos. Actualmente es autor de numerosos libros y publicaciones cuyo enfoque es ayudar a cumplir la Gran Comisión de Jesucristo. La atención del doctor Bright se concentra hoy día en "Vida Nueva 2000", un esfuerzo internacional combinado para ayudar a alcanzar a más de 6,000 millones de personas con el evangelio de nuestro Señor Jesucristo.

CRUZADA ESTUDIANTIL Y PROFESIONAL
PARA CRISTO
OFICINAS NACIONALES

Argentina
Cruzada Estudiantil y Profesional
para Cristo
Casilla de Correo 160, Suc. 12
1412 Buenos Aires, Argentina

Bolivia
Casilla 1490,
Santa Cruz, Bolivia

Colombia
Vida para Colombia
Apartado Aéreo 80936
Santa Fe de Bogotá, D.C.
Colombia

Costa Rica
Apartado 640-1007
San José, Costa Rica

Chile
Casilla 10
Centro Casillas
Santiago, Chile

Ecuador
Apartado 17-11-04990
Quito, Ecuador

El Salvador
Apartado 515
San Salvador, El Salvador

Guatemala
Apartado 1784
Guatemala, Guatemala

Honduras
Apartado 390
Tegucigalpa, Honduras

México
Apartado 1424
Cuernavaca, Morelos
México

Panamá
Apartado 2892
Panamá 3, Panamá

Paraguay
Casilla 2626
Asunción, Paraguay

Perú
Apartado 03-5023
Salamanca, Lima 3
Perú

República Dominicana
Apartado 1897
Santo Domingo,
Rep. Dominicana

Uruguay
Casilla de Correo 1550
Montevideo, Uruguay

Venezuela
Apartado 47162
Caracas 1041 AVenezuela

Estados Unidos
Oficina Latinoamericana
P.O. Box 83222
Miami, Florida 33283, USA

Ministerio Hispano, Estados Unidos
P.O. Box 790608,
San Antonio, Texas, 78279-0608

CRUZADA ESTUDIANTIL Y PROFESIONAL PARA CRISTO OFICINAS NACIONALES

Cruzada Estudiantil y
Profesional para Cristo
Casilla de Correo 160, Suc. 12
1412 Buenos Aires, Argentina

Casilla 1490,
Santa Cruz, Bolivia

Vida para Colombia
Apartado Aéreo 80936
Santa Fe de Bogotá, D.C.
Colombia

Apartado 640-1007
San José, Costa Rica

Casilla 10
Centro Casillas
Santiago, Chile

Apartado 17-11-04990
Quito, Ecuador

Apartado 515
San Salvador, El Salvador

Apartado 1784
Guatemala, Guatemala

Apartado 390
Tegucigalpa, Honduras

Apartado 1424
Cuernavaca, Morelos
México

Apartado 2892
Panamá 3, Panamá

Casilla 2626
Asunción, Paraguay

Apartado 03-5023
Salamanca, Lima 3
Perú

Apartado 1897
Santo Domingo,
Rep. Dominicana

Casilla de Correo 1550
Montevideo, Uruguay

Apartado 47162
Caracas 1041 A
Venezuela